زهرة النحو

المؤلَّف

حنيف بن يوسف

حفظها الله تعالى وآهالها وأقاربها وأساتذتها وشيوخها وأعوانها وأصدقائها ومحبّيها
وحفظ جامعة العلم والهدي وجعله سببا للعلم والهدى

Jamiatul Ilm Wal Huda

British Library Cataloguing in Publication Data
A catalogue record for this book is available from the British Library.

Published & Distributed by:

Jamiatul Ilm Wal Huda
30 Moss Street
Blackburn
Lancashire, U.K.
BB1 5JT
T: 01254 673105
W: www.jamiah.co.uk
E: info@jamiah.co.uk
ISBN: 978–0–9556973–4–0

Printed by: **Imak Ofset**, **Turkey**

بسم الله الرحمن الرحيم

الحمد لله ربّ العالمين والصلاة والسلام على رحمة للعالمين ومن تبعه من النّاس أجمعين أمّا بعد

Understanding the basics of any language is dependant upon understanding the basic rules of that language. Learning how to form sentences, with the correct structure, is the primary step to gain an advanced understanding of the language. Unfortunately, many individuals are deprived of learning the language of the Holy Qur'an and the Prophetic tradition, namely Arabic, due to their inability to grasp the Arabic language. Many struggle with the grammatical rules of the Arabic due to its complex nature; however, majority of the sentences within the books and day-to-day speech does not go beyond the very basic rules. Therefore, for the easiness of the learners, it was necessary to compile a very short, yet comprehensive book covering all the basic rules that are needed for reading the simple books and can further assist in day-to-day speech.

With the grace of Almighty Allah my respected senior, Maulana Hanif Yusuf Patel combined a short but comprehensive book on the grammatical rules of Arabic. The book has almost covered all the important basic rules a learner would require to excel into the intermediate level books of grammar. The book has been expertly designed such that it can benefit both; the Urdu speaking audience and the English speaking audience; with the addition of examples, worksheets and analysis.

I thank Maulana Hanif for making this book available for the readers, I further thank all those individuals who supported in this compilation. May Almighty ALLAH accept this effort by Maulana Hanif and place this valuable book within his scale of good deeds. I further pray that Almighty ALLAH continues to take work from Maulana Hanif, grant him the ability to provide more valuable material for the seekers. May Almighty ALLAH grant Maulana Hanif the success of both worlds. I pray to Almighty ALLAH that he makes this book beneficial for the beginners and make it an easy guide for teaching and practicing. Ameen.

Introduction written by:

Muawiyah Ibn (Mufti) Abdus-Samad Ahmed

بسم الله الرحمن الرحيم

الحمد لله رب العالمين والصلاة والسلام على سيد الأنبياء والمرسلين.

أما بعد:

المقدمة

تَعْرِيفُ عِلْمِ النَّحْو: وہ علم جس سے عبارت (Arabic text without end case) پڑھنے کا طریقہ معلوم ہو

فَائِدَةُ عِلْمِ النَّحْو: عربی بولنے، پڑھنے اور لکھنے میں غلطی سے بچنا

لَفْظ (Utterance): جو بات آدمی کے منہ سے نکلے

لفظ کی دو قسمیں ہیں: (۱) مُفْرَد (۲) مُرَكَّب

مُفْرَد \ كَلِمَة (Word): ایک اکیلا معنی والا لفظ (a single meaningful utterance)

مُرَكَّب (Compound): جو لفظ دو یا زیادہ کلموں سے بنے (2 or more words)

البحث في المركبات

مُرَكَّب

Compound

وہ لفظ جو دو یا زیادہ کلموں سے بنے

Q. What do the following examples have in common?

كِتَابُ زَيْدٍ	أَحَدَعَشَرَ	الْيَوْمَ أَكْمَلْتُ لَكُمْ دِينَكُمْ
سِيبَوَيْه	رَجُلٌ عَالِمٌ	فِي الْمِرْحَاضِ
حَامِدٌ صَالِحٌ	كَأَنَّكَ	إِنَّ الاِخْتِبَارَ قَرِيبٌ

A. Yes! They are all compounds (مُرَكَّبَاتٌ).

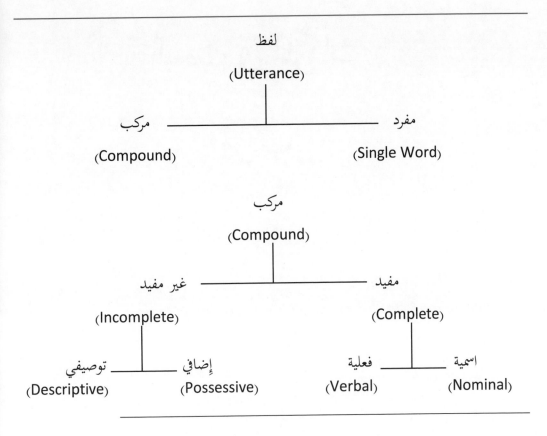

الْمُرَکَّبُ الْمُفِيد (Complete Compound): مکمل(Complete)جملہ کو کہتے ہے،

وہ بات ہے جس سے سننے والے کو کوئی بات معلوم ہو،

مثال : _____

الْمُرَکَّبُ غَيْرُ الْمُفِيد (Incomplete Compound): ناقص(Incomplete)جملہ کو کہتے ہے،

وہ بات ہے جس سے سننے والے کو کوئی پوری بات معلوم نہ

ہو، مثال : _____

المرکب المفید(جملہ) کی دوقسمیں ہیں: (۱) إِسْمِيَّة: وہ جملہ جس کا پہلا حصہ (part) اسم ہو۔

(۲) فِعْلِيَّة: وہ جملہ جس کا پہلا حصہ (part) فعل ہو۔

المرکب غیر المفید کی قسموں میں سے دو(۲) یہ ہیں: (۱) مرکب إضافی

(۲) مرکب توصیفی

مُرَکَّب إِضَافِي (Possessive Compound/Phrase):

وہ ہے جس کا پہلا حصہ مضاف (possessed) اور دوسرا حصہ

مضاف الیہ (possessor) ہو

مثال:

الجملة	کِتَابُ	زَیْدٍ
الترکیب	مضاف	مضاف إلیه
	مرکب إضافی	

مُرَکَّب تَوْصِیفِي (Descriptive Compound/Phrase):

وہ ہے جس کا پہلا حصہ موصوف (Described) اور دوسرا حصہ صفت (Adjective/Description) ہو۔

مثال:

الجملة	بَیْتٌ	جَمِیلٌ
الترکیب	موصوف	صفة
	مرکب توصیفی	

Q. Please identify the مركب مفيد and مركب غير مفيد in the following phrases.

اِيْتِ بِالْمَاءِ	رَجُلٌ صالِحٌ	ذَهَبَ زَيْدٌ إِلٰى
قَلَمُ مُحَمَّدٍ	ثَوْبٌ صَغِيْرٌ	هَلْ ضَرَبَ زَيْدٌ

Q. Please identify the جملة إسمية and جملة فعلية in the following phrases.

زَيْدٌ قَائِمٌ	ضَرَبَ زَيْدٌ مُحَمَّدًا	الأُمُّ صَالِحَةٌ
يَضْرِبُ حَامِدٌ شَاهِدًا	زَيْدٌ ضَرَبَ	ذَهَبَ حَامِدٌ إِلَى الْمَسْجِدِ

Q. Please identify the مركب إضافي and مركب توصيفي in the following phrases.

صَوْتُ الأَذَانِ	عِلْمُ النَّحْوِ	قَلَمٌ جَافٌّ
صَوْتٌ رَفِيْعٌ	الرَّجُلُ الطَّوِيْلُ	الْمَمْلَكَةُ الْعَرَبِيَّةُ السَّعُودِيَّةُ

البحث في الـمُفْرَدَات

مُفْرَد \ كَلِمَة

Word

ایک اکیلا معنی والا لفظ

کلمہ کی تین قسمیں ہیں:(۱) اِسْم (Noun)، (۲) فِعْل (Verb)، (۳) حَرْف (Particle).

علامات

How To Recognise A Noun, Verb And Particle

اسم کی چند علامات یہ ہیں:

- اس سے پہلے اَلْ ہو۔ مثلاً: اَلْحَمْدُ.
- اس سے پہلے حَرْفُ الْجَر[۱] ہو۔ مثلاً: لِرَبِّ.
- اس کے آخر میں تَنْوِین (ً ٍ ٌ) ہو ۔ مثلاً: هِدَايَةً.

---

[۱] صفحہ نمبر ۴۰ پر دیکھئے الحروف الجارّۃ کے لئے

فعل کی چند علامات یہ ہیں:

- اس سے پہلے قَدْ ہو۔ مثلاً: قَدْ سَمِعَ.
- اس سے پہلے سَ یا سَوْفَ ہو ۔ مثلاً: سَيَقُولُ، سَوْفَ تَعْلَمُونَ.
- اس سے پہلے جزم (ـْ) دینے والے حروف (إِنْ، لَمْ، لَمَّا، لَامُ الأَمْر، لَاءُ النَّهْيِ)ہو

  مثلاً: لَا تَضْرِبْ.
- اس کے آخر میں الضَّمِيرُ الْمَرْفُوعُ الْمُتَّصِل ہو۔ یعنی: ضَرَبْتُ، ضَرَبْتَ، ضَرَبْتِ، ضَرَبْتُمَا، الخ۔

حرف کی علامت یہ ہے:

- اس میں فعل اور اسم کی کوئی بھی علامت نہ ہو۔ مثلاً: فِيْ.

Q. State whether the following are اسم, فعل or حرف?

الْحَمْدُ	بَلْ	عَلَىٰ
يَوْمٌ	قَلَمٌ	هُدًى
اِهْدِنَا	يُؤْمِنُونَ	مُحَمَّدٌ

جس کلمے کے آخر میں پیش\ضمہ (ُ) ہو، اس کو حَالَةُ الرَّفع کہتے ہیں۔

جس کلمے کے آخر میں زبر\فتحہ (َ) ہو، اس کو حَالَةُ النَّصَب کہتے ہیں۔

جس اسم کے آخر میں زیر\کسرہ (ِ) ہو، اس کو حَالَةُ الجْرّ کہتے ہیں۔

Q. Please identify the states of the coloured words?

زَيْدٌ قَائِمٌ.	ضَرَبَ زَيْدٌ.	يَا عَبْدَ اللهِ
لا كتابَ رَجُلٍ في الدار	لِخَالِدٍ أَخَوَانِ.	هذا كِتَابُ زَيْدٍ

البحث في الاسم

تعداد

Number

عدد (Number) کے اعتبار سے اسم کی تین قسمیں ہیں:

(۱) وَاحِد Singular

(۲) تَثْنِيَة Dual

(۳) جَمْع Plural

Q. Can you identify a pattern?

3+	2	1	
رِجَالٌ (کئی مرد)	رَجُلاَنِ \ رَجُلَيْنِ (دومرد)	رَجُلٌ (ایک مرد)	
مُسْلِمُونَ \ مُسْلِمِينَ (کئی مسلمان لوگ)	مُسْلِمَانِ \ مُسْلِمَيْنِ (دو مسلمان)	مُسْلِمٌ (ایک مسلمان)	M
نِسَاءٌ (کئی عورتیں)	اِمْرَأَتَانِ \ اِمْرَأَتَيْنِ (دو عورتیں)	اِمْرَأَةٌ (ایک عورت)	
مُؤْمِنَاتٌ \ مُسْلِمَاتٍ (کئی مؤمن عورتیں)	مُؤْمِنَتَانِ \ مُؤْمِنَتَيْنِ (دو مؤمن عورتیں)	مُؤْمِنَةٌ (ایک مؤمن عورت)	F

وَاحِد (Singular): وہ اسم ہے جو ایک چیز پر دلالت (indicates) کرے

تثنية (Dual): وہ اسم ہے جو دو چیزوں پر دلالت کرے

Q. What do these words have in common?

رَجُلاَنِ	كَبِيرَيْنِ	زَيْدَانِ
مُسْلِمَتَيْنِ	سَيَّارَتَانِ	عَالِمَيْنِ

A. 1. ______________________________

<u>How to identify</u> — تثنية

تثنیہ کے صیغے کے آخر میں 'ـَانِ' یا 'ـَيْنِ' ہوتا ہے۔

جمع (Plural): وہ اسم ہے جو دو سے زیادہ (2+) پر دلالت کرے

Q. Can you spot any difference between the جمع of column 1 and column 2?

Column 1	Column 2
رَجُلٌ (ج) رِجَالٌ	مُسْلِمٌ (ج) مُسْلِمُونَ
قَلَمٌ (ج) أَقْلَامٌ	مَضْرُوبٍ (ج) مَضْرُوبِينَ
بَيْتٌ (ج) بُيُوتٌ	صَالِحَةٌ (ج) صَالِحَاتٌ
نَافِذَةٌ (ج) نَوَافِذ	مُؤْمِنَةٌ (ج) مُؤْمِنَاتٌ

A. 1. ____________________

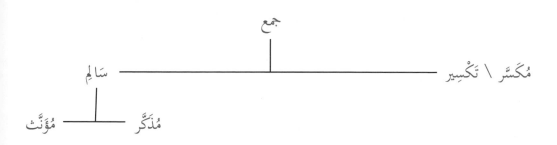

الْجَمْعُ الْمُكَسَّر (Broken Plural): وہ جمع ہے جس میں واحد کے صیغہ کا وزن (measure) باقی نہ رہے

الْجَمْعُ السَّالِم (Sound Plural): وہ جمع ہے جس میں واحد کے صیغہ کا وزن (measure) باقی رہے

الجمع السالم کی دو قسمیں ہیں: (ا) جَمْعُ الْمُذَکَّرِ السَّالِمُ

(۲) جَمْعُ الْمُؤَنَّثِ السَّالِمُ

جَمْعُ الْمُذَکَّرِ السَّالِم (Sound Masculine Plural): وہ جمع جس کے آخر میں 'ونَ' یا 'ینَ' ہو۔

جَمْعُ الْمُؤَنَّثِ السَّالِم (Sound Feminine Plural): وہ جمع جس کے آخر میں 'اتٌ' یا 'اتٍ' ہو۔

Q. Can you identify whether the following plurals are سالم or مکسّر?

تِلْكَ الرُّسُلُ	هذه غُرَفُ الضُّيُوْفِ	رِجَالٌ صَالِحُونَ
الحروفُ الْمُشَبَّهَةُ بِالفِعْلِ	صُلَحَاءُ الْمَدِيْنَةِ	فِي صَلاَتِهِمْ خٰشِعُوْنَ
وَالقانتين والقَانِتَات	الأَفْعَالُ النَّاقِصَةُ	الأسْمَاءُ الْحُسْنَى

Q. Can you identify whether the following plurals are مذکر سالم or مؤنث سالم?

قِصَصُ النَّبِيِّيْنَ	رحمةٌ لِلْعَالِمِينَ	فِي صَلاَتِهِمْ خٰشِعُوْنَ
أَقْسَامُ الْمَرْفُوعَاتِ	الْمَنْصُوبَاتُ اِثْنَا عَشَرَ قِسْمًا	الْمَجْرُورَاتُ اِثْنَانِ فَقَطْ
الْخَاسِرِيْنَ	وَالْقَانِتِيْنَ والقَانِتَات	وَالقانتين والقَانِتَات

معرفة \ نكرة

Definite and Indefinite

تخصیص (Definiteness) کے اعتبار سے اسم کی دو قسمیں ہیں: (۱) مَعْرِفَة

(۲) نَکِرَة

Q. Can you spot the difference?

جَاءَ رَجُلٌ A man came	مَرَرْتُ بِرَجُلٍ I passed by a man
جَاءَ الرَّجُلُ The man came	مَرَرْتُ بِالرَّجُلِ I passed by the man

A. Yes! Certain words are specific and others are not!

نَكِرَة (Indefinite): وہ اسم ہے جو عام چیز (Common thing) پر دلالت کرے

مَعْرِفَة (Definite): وہ اسم ہے جو خاص چیز (Particular thing) پر دلالت کرے

معرفة کی سات قسمیں ہیں:

Example	Description	Type	
هُوَ رَجُلٌ (He is) a man	Pronoun	ضَمِيْر	1
جَاءَ زَيْدٌ (Zayd) came	Proper Noun	عَلَم	2
هذا كِتَابٌ (This) is a book	Demonstrative Pronoun	اِسمُ الإِشَارَة	3
حَمِدتُ الَّذِي ضَرَبَكَ I praised he who hit you	Relative Pronoun	اِسْمُ الْمَوْصُول	4
الطَّالِبُ حَاضِرٌ The student is present	Noun prefixed with 'اَلْ'	الْمُعَرَّف بِ"ال"	5
قَلَمُ الرَّجُلِ The man's pen	Possessed Noun	المُضَاف	6
يَا رَجُلُ Oh Man!	Noun with a vocative particle (يَا) before it.	الْمُعَرَّف بِالنِّدَاء	7

الِاسْمُ الْمَنْسُوب

The Relative Noun

Q. Can you identify a pattern?

هذا شَيْءٌ لَنْدَنِيٌّ	هُوَ عِرَاقِيٌّ	هِيَ مَكِيٌّ
فَهِمْتُ كَلَامَ صَرْفِيٍّ	أنا اِنْجْلِيْزِيٌّ	لِقِيتُ بِنَحْوِيٍّ

A. Yes! All these words have a 'يّ' (ياء مشددة) at the end!!!

الِاسْمُ الْمَنْسُوب (The Relative Noun): وہ اسم ہے جس کے آخر میں 'يّ' ہو

مثلاً: لَنْدَنِيٌّ (of London)، عِرَاقِيٌّ (Iraqi).

Q. Make اسم منسوب out of the following words.

هِنْدٌ ← هِنْدِيٌّ

بَاكِسْتَان ← بَاكِسْتَانِيٌّ

نَحْو ← نَحْوِيٌّ

Q. Write out the original form of these اسم منسوب.

بَغْدَادِيٌّ ← بَغْدَاد

صَرْفِيٌّ ← صَرْف

إِسْمُ التَّصْغِير

The Diminutive Noun

Q. Can you identify a pattern?

هُوَ رُجَيْلٌ	الدُّكَّانُ قَرِيبٌ مِنَ الْجُبَيْلُ
مُصَيْرِفٌ	تَحْتَ الشَّجَرِ قُرَيْطِيسٌ

A. Yes! All these words give the meaning of smallness and appear at a particular measure (وزن)!!!

اِسْمُ التَّصْغِير (The Diminutive Noun): وہ اسم ہے جو

فُعَيْلٌ (۳ حرف والا اسم) مثلاً: جَبَلٌ ← جُبَيْلٌ

فُعَيْعِلٌ (۴ حرف والا اسم) مثلاً: مَصْرَفٌ ← مُصَيْرِفٌ

فُعَيْعِيلٌ (۵ حرف والا اسم) مثلاً: حَمْدَان ← حُمَيْدِينٌ کے وزن پر ہو۔

Note:

اسم تصغیر عموماً (۱) محبت (Love) (۲) چھوٹائی (Smallness) (۳) حقارت (Criticism) کے لئے آتا ہے

Q. Make اسم التصغير out of the following words.

رَجُلٌ   ←   _____

مُسْرِفٌ   ←   _____

فِرْطَاسٌ   ←   _____

Q. Write out the original form of these اسم التصغير.

وُلَيْدٌ   ←   _____

مُطَيْعِمٌ   ←   _____

عُصَيْفِيرٌ   ←   _____

مذکر | مؤنث

Masculine and Feminine

جنس (Gender) کے اعتبار سے اسم کی دو قسمیں ہیں: (۱) مذکر

(۲) مؤنث

Q. Can you spot the difference?

جَاءَ رَجُلٌ	رَأَيْتُ زَيْنَبَ	مَرَرْتُ بِالطَّالِبَةِ
جَاءَتْ اِمْرَأَةٌ	رَأَيْتُ زَيْدًا	مَرَرْتُ بِالطَّالِبِ

A. Yes! Some words are masculine and some words are feminine!

مُذَکَّر (Masculine): وہ اسم ہے جو کوئی نرینہ چیز (male thing) پر بولا جائے

مُؤَنَّث (Feminine): وہ اسم ہے جو کوئی مادہ چیز (feminine thing) پر بولا جائے

مؤنث کی دو قسمیں ہیں: (۱) قِيَاسِي \ لَفْظِي

(۲) سَمَاعِي \ مَعْنَوِي

الْمُؤَنَّثُ الْقِيَاسِيّ \ اللَّفْظِيّ: وہ اسم ہے جس میں مؤنث کی علامت لفظ میں ہو (Sign in the word)

مؤنث کی علامت ۳ ہیں: (۱) گول 'ۃ' (تَاء مَرْبُوطَة) مثلاً: سَيَّارَةٌ

(۲) کھڑا زبر 'یٰ' (أَلِف مَقْصُورَة) مثلاً: بُشْرٰی

(۳) بڑا مد 'آء' (أَلِف مَمْدُودَة) مثلاً: حَمْرَآءُ

الْمُؤَنَّثُ السَّمَاعِيّ \ الْمَعْنَوِيّ: وہ ہے جس میں مؤنث کی علامت لفظ میں نہ ہو، مگر عرب اس کو مؤنث پڑھتے ہیں (We`ve heard the Arabs use it as such)

چند مؤنثِ سماعی یہ ہیں:

- وہ اعضائے بدن جو دو ہو (Double Body Parts) مثلاً: يَدٌ (ہاتھ)
- عورتوں کے نام مثلاً: مَرْيَمُ
- جو اسم عورت کے لئے بولا جائے مثلاً: أُمٌّ

Usually end with a ٌ

المرفوعات

Nominatives

وہ اسماء (nouns) جن کا اعراب (end-case) رفع ہے

مرفوعات آٹھ ہیں:

١) الفَاعِلُ

٢) نَائِبُ الْفَاعِلِ

٣) الْمُبْتَدَأُ

٤) الْخَبَرُ

٥) الْحُرُوفُ الْمُشَبَّهَةُ بِالْفِعْلِ کی خبر

٦) لا لِنَفْيِ الْجِنْسِ کی خبر

٧) الأَفْعَالُ النَّاقِصَةُ کا اسم

٨) ما ولا الْمُشَبَّهَتَانِ بِ"لَيْسَ" کا اسم

Q. What do all these words have in common?

مَفْتُوحٌ	الاِمْتِحَانُ	وَلَدٌ
زَيْدٌ	الرَّجُلُ	البِنْتُ
رَخِيصٌ	قَائِمٌ	قِرْطَاسٌ

A. Yes! They all end with a رفع (ُ or ٌ).

Q. What do all these examples have in common?

ضَرَبَ زَيْدٌ　　　　لَعِبَ بِكْرٌ

قَرَأَ مُحَمَّدٌ　　　　يَأْكُلُ الْوَلَدُ

١) فَاعِل (Doer): کوئی کام (فعل) کرنے والا

A.

1. ترتيب: ______________________________

2. فاعل: ______________________________

3. (ُ): ______________________________

Give 2 examples of your own.

1. ______________________________

2. ______________________________

Q. What do all these examples have in common?

ضُرِبَ زَيْدٌ   نُصِرَ بِكْرٌ

قُرِئَ الْكِتَابُ   يُؤْكَلُ الطَّعَامُ

۲) نَائِبُ الْفَاعِلِ (Substitute Doer): وہ مَفْعُوْل بِهِ (object) ہے جس پر کوئی کام کیا جاوے۔
اسکو المفعولُ مَا لَمْ يُسَمَّ فَاعِلُهُ بھی کہتے ہیں۔

Note: یہ فعل مجہول کے بعد آتا ہے اور فاعل معلوم نہیں ہوتا ہے

A. 1. ____________________

2. ____________________

3. ____________________

Give 2 examples of your own.

1. ____________________

2. ____________________

Q. What do these words have in common?

زَیْدٌ طَوِیْلٌ بَکْرٌ أُسْتَاذٌ

الاِمْتِحَانُ قَرِیبٌ البَابُ مَفْتُوحٌ

۳) مُبْتَدَأ (Subject): جملہ اسمیہ کا پہلا حصہ ہوتا ہے
اور اس کے بارے میں خبر دی جاتی ہے

٤) خَبَر (Information): جملہ اسمیہ کا دوسرا حصہ ہوتا ہے
اور مبتدا کے بارے میں کوئی بات بتاتی ہے

A. 1. ______________________________

2. ______________________________

3. ______________________________

مبتدا معرفہ ہوتا ہے، خبر نکرۃ ہوتی ہے

Q. What do these words have in common?

Urdu	English	Arabic	
بے شک زید لمبا ہے	(Verily Zaid is tall)	إِنَّ زَيْداً طَوِيلٌ	زَيْدٌ طَوِيلٌ
شاید کہ دروازہ کھلا ہوا ہو	(Perhaps the door is open)	لَعَلَّ البَابَ مَفْتُوحٌ	البَابُ مَفْتُوحٌ
گویا کہ امتحان قریب ہے	(As if the test is near)	كَأَنَّ الإِمْتِحَانَ قَرِيبٌ	الإِمْتِحَانُ قَرِيبٌ
استاد حاضر ہے لیکن طالب علم غائب ہے	(The teacher is present but the student is absent)	الأُسْتَاذُ حَاضِرٌ لٰكِنَّ الطَّالِبَ غَائِبٌ	الطَّالِبُ غَائِبٌ
کاش کہ سونا سستا ہوتا	(I wish gold was cheap)	لَيْتَ الذَّهَبَ رَخِيصٌ	الذَّهَبُ رَخِيصٌ
میں نے سنا کہ محمد عالم ہے	(I heard that Muhammad is knowledgable)	سَمِعْتُ أَنَّ مُحَمَّداً عَالِمٌ	مُحَمَّدٌ عَالِمٌ

٥) الْحُرُوفُ الْمُشَبَّهَةُ بِالْفِعْلِ: یہ چھ ہیں

إِنَّ　　أَنَّ　　كَأَنَّ　　لَيْتَ　　لٰكِنَّ　　لَعَلَّ

A. 1. ______________________________

2. یہ حروف: اسم (جملہ اسمیۃ) سے پہلے آتے ہیں

3. مبتدا (بعد والا اسم) کو ـً دیتے ہیں، اور خبر کو ـٌ

Give 2 examples of your own.

1. ______________________________

2. ______________________________

Note: The difference between أَنَّ and إِنَّ

Q. What do these words have in common?

Urdu	English	Arabic	
نہیں ہے کوئی (بھی ایک) مرد کھڑا	(There is not a single ___ man standing)	لَا رَجُلَ قَائِمٌ	الرَّجُلُ قَائِمٌ
نہیں ہے کوئی (بھی ایک) طالبِ علم غائب	(There is not a single ___ student absent)	لَا طَالِبَ غَائِبٌ	الطَّالِبُ غَائِبٌ
نہیں ہے کوئی (بھی ایک) دکان کھلی	(There is not a single ___ shop open)	لَا دُكَّانَ مَفْتُوحٌ	الدُّكَّانُ مَفْتُوحٌ

٦) لَا لِنَفْيِ الْجِنْس (*Laa* of denying the full genus): وہ لا جو پوری جنس (genus) کی نفی کرے

A. 1. _____

2. _____ یہ حروف جملہ اسمیہ سے پہلے آتے ہیں

3. _____ مبتدأ (اسم) کو ___ دیتا ہے، اور خبر کو ___۔

Give 2 examples of your own.

1. _____

2. _____

_____

Q. What do these words have in common?

Urdu	English	Arabic	
تھا مرد کھڑا	(The man was standing)	كَانَ الرَجُلُ قَائِماً	الرَّجُلُ قَائِمٌ
ہو گیا محمد عالم	(Muhammad became an Alim)	صَارَ محمدٌ عالماً	مُحَمَّدٌ عَالِمٌ
نہیں ہے دروازہ کھلا	(The door is not open)	لَيْسَ البابُ مفتوحاً	البَّابُ مَفْتُوحٌ

٧) الأَفْعَالُ النَّاقِصَة (Incomplete Verbs): یہ تیرہ (۱۳) ہیں[2]

كَانَ	صَارَ	أَصْبَحَ	أَمْسَى	أَضْحَى
ظَلَّ	بَاتَ	مَا بَرِحَ	مَا دَامَ	مَا اِنْفَكَّ
	لَيْسَ	مَا فَتِئَ	مَا زَالَ	

[2] For meanings please refer to appendix 1.

A. 1. _____

2. _____ یہ حروف جملہ اسمیہ سے پہلے آتے ہیں

3. _____ مبتدأ (اسم) کو ــُـ دیتا ہے، اور خبر کو ــَـ ۔

Give 2 examples of your own.

    1. _____

    2. _____

Q. What do these words have in common?

Urdu	English	Arabic	
نہیں ہے زید کھڑا	(Zaid is not standing)	مَا زيْدٌ قَائِماً	زَيْدٌ قَائِمٌ
نہیں ہے (کوئی) آدمی کھڑا	(A man is not sitting)	لاَ رجلٌ جَالِساً	الرَّجُلُ غَائِبٌ

٨) <u>مَا و لاَ الْمُشَبَّهَتَانِ بِ"لَيْسَ"</u>: وہ ما اور لا جو 'لَيْسَ' کی طرح ہو، معنی اور عمل میں

A. 1. ______________________________

یہ ما اور لا حروف جملہ اسمیۃ سے پہلے آتے ہیں

2. ______________________________

مبتدأ (اسم) کو _ ٌ دیتا ہے، اور خبر کو _ ً

3. ______________________________

Give 2 examples of your own.

1. ______________________________
2. ______________________________

Recap on the governers (عَوَامِل)

	عَوَامِل	اسم (مبتدأ)	خبر
1	الحروف المشبهة بالفعل	(َ ، ً)	(ُ ، ٌ)
2	لا لنفي الجنس		
3	الأفعال الناقصة	(ُ ، ٌ)	(َ ، ً)
4	ما و لا المشبهتان بـ"لَيْسَ"		

Worksheet

Fill in the table and add the appropriate إعراب.

قِسْم	وَجْهُ الأعراب	ترجمة	جملة
			إنَّ اللهَ غَفور
			مازال الرَّجَل قَائِما
			لاَ امْرَأَة فِي الدَّار
			ما هذا عَالِما
			ابْن زيدٍ حَاضِر
			نُصر مُحَمَّد
			نَصر مُحَمَّد
			ليت الأُسْتَاذ حَاضِر

Analysis

الجملة	ضَرَبَ	زَيْدٌ	ضُرِبَ	زَيْدٌ	زَيْدٌ	طَوِيلٌ
التركيب	فِعْلٌ	فَاعِلٌ	فِعْلٌ (مَجْهُوْلٌ)	نَائِبُ الْفَاعِلِ	مُبْتَدَأٌ	خَبْرٌ
	جُمْلَة فِعْلِيَّة خَبْرِيَّة		جُمْلَة فِعْلِيَّة خَبْرِيَّة		جُمْلَة اسْمِيَّة خَبْرِيَّة	
الترجمة	زید نے مارا		زید مارا گیا		زید لمبا ہے	

Analyse the following:

الجملة	نُصِرَ	مُحَمَّدٌ	ابْنُ زَيْدٍ	حَاضِرٌ	نَصَرَ	مُحَمَّدٌ
التركيب						
الترجمة	محمد کی مدد کی گئی		زید کا بیٹا حاضر ہے		محمد نے مدد کی	

Analysis

الجملة	إِنَّ	زَيْدًا	طَوِيلٌ	لَا	رَجُلَ	قَائِمٌ
التركيب	الحَرْفُ الْمُشَبَّهُ بِالْفِعْلِ	اِسْمُ "إن"	خَبْرُ "إن"	لَا لِنَفْيِ الْجِنْسِ	اِسْمُ "لا"	خَبْرُ "لا"
	جُمْلَةٌ اِسْمِيَّةٌ خَبَرِيَّةٌ			جُمْلَةٌ اِسْمِيَّةٌ خَبَرِيَّةٌ		
الترجمة	بے شک زید لمبا ہے			کوئی (بھی ایک) آدمی کھڑا نہیں ہے		

Analysis

الجملة	كان	الرَّجُلُ	قَائِمًا		ما	زَيْدٌ	قائما
التركيب	فِعْلٌ نَاقِصٌ	اِسْمُ "كان"	خَبَرُ "كان"		مَا مُشَبَّهَةٌ بِـ"لیس"	اِسْمُ "ما"	خَبَرُ "ما"
	جُمْلَةٌ فِعْلِيَّةٌ خَبَرِيَّةٌ				جُمْلَةٌ فِعْلِيَّةٌ اِسْمِيَّةٌ		
الترجمة	تھا آدمی کھڑا				نہیں ہے زید کھڑا		

Analyse the following:

الجملة	إِنَّ	الله	غَفُورٌ		مَا	هذا	عَالِمًا
التركيب							
الترجمة	بے شک اللہ غفور ہیں				نہیں ہے یہ عالم		

الجملة	ما زال	الرَّجُلُ	قَائِمًا
التركيب			
الترجمة	برابر رہا آدمی کھڑا		

Fill in the table with an appropriate word and translate:

English	Arabic	Urdu
______________ is Zaid.	__________ زَيدٌ	
There is no ________ but Allah.	لاَ ____ إِلَّا اللّٰهُ	
Zaid is _______________.	زَيْدٌ ______	
________ spent the night sleeping.	بَاتَ ________ نَائِمًا	
The book ______ cheap and the pen ______ expensive	______ الكِتَابُ رَخِيْصًا وَ ______ القَلَمُ ثَمِيْنًا	
Muhammed _____ a king.	______ مُحَمَّدٌ مَلِكًا	
______ Muhammed صلی اللہ علیہ و سلم is the messenger of Allah.	_____ محمدا رسول الله	

المجرورات

Usually end with a ◌ٍ

Genitives

وہ اسماء(nouns) جن کا اعراب(end-case) جر ہے

مجرورات دو ہیں:

١) الْمُضَافُ إِلَيْهِ

٢) الْمَجْرُورُ بِحَرْفِ الْجَرِّ

Q.What do all these words have in common?

زَيْدٍ	قَائِمٍ	الاِمْتِحَانِ
جَالِسٍ	الرَّجُلِ	مَفْتُوحٍ
رَخِيصٍ	البِنْتِ	الوَلَدِ

A. Yes! They all end with a جر (◌ِ_ or ◌ٍ_).

Q.What do all these words have in common?

قَلَمُ مُحَمَّدٍ	كَرَّاسَةُ طَالِبٍ	غُلَامُ زَيْدٍ
اِبْنُ الأُسْتَاذِ	كِتَابُ بَكْرٍ	قَلَمُ صَالِحٍ
غُلَامُ رَجُلٍ	نَظَرْتُ إِلَى قَمِيصِ الْوَلَدِ	نَصَرْتُ ابْنَ الْمُدِيرِ

۱)الْمُضَافُ إِلَيْهِ (Possessor):

A. 1. مضاف پر اَلْ اور (ً ، ٌ ، ٍ) نہیں

2. مضاف کی حرکت بدلتی ہے۔

3. مضاف الیہ پر ہمیشہ ِ ہوتا ہے۔

How to identify مُرَكَّب إِضَافِي

Translated in: Urdu as کے,کی,کا.

English as of, 's.

Give 2 examples of your own.

1. __________

2. __________

Q.What do all these words have in common?

البَيْتُ ← فِي البَيْتِ

زَيْدٌ ← بِزَيْدٍ

٢) **الْمَجْرُورُ بِحَرْفِ الْجَرِّ**: وہ اسم جس سے پہلے الحروف الجارة میں سے کوئی آئے

الْحُرُوفُ الْجَآرَّة (حروفِ جر) سترہ (١٧) ہیں:

بِ	تَ	كَ	لِ	وَ
مُذْ	مُنْذُ	رُبَّ	حَاشَا	مِنْ
عَدَا	فِي	عَنْ	عَلَى	حَتَّى
	إِلَى	خَلاَ		

A. 1. ______________________________

المنصوبات

Usually end with a ً

Accusatives

وہ اسماء (nouns) جن کا اعراب (end-case) نصب ہے

منصوبات بارہ ہیں:

١) الْمَفْعُولُ بِهِ
٢) الْمَفْعُوْلُ الْمُطْلَقُ
٣) الْمَفْعُوْلُ لَهُ
٤) الْمَفْعُوْلُ مَعَهُ
٥) االْمَفْعُوْلُ فِيه
٦) الْحَالُ
٧) التَّمْيِيْزُ
٨) الْمُسْتَثْنَىٰ
٩) الْحُرُوفُ الْمُشَبَّهَةُ بِالْفِعْلِ کا اسم
١٠) لا لِنَفْيِ الْجِنْسِ کا اسم
١١) الأَفْعَالُ النَّاقِصَةُ کی خبر
١٢) مَا وَلاَ الْمُشَبَّهَتَانِ بِ"لَيْسَ" کی خبر

Q. What do all these words have in common?

زَيْدًا	الإمْتِحَانَ	جَالِسًا
قَائِمًا	الرَّجُلَ	رَخِيصًا
مَفْتُوحًا	البِنْتَ	الوَلَدَ

A. Yes! They all end with a نَصَب (ـَ_ or ـً_)

Q. What do all these words have in common?

الْخُبْزُ ← أَكَلَ مُحَمَّدُنِ الْخُبْزَ

مَاءٌ ← شَرِبَ زَيْدٌ مَاءً

خَالِدٌ ← ضَرَبْتُ خَالِداً

١) الْمَفْعُولُ بِهِ (Object): وہ اسم ہے جس پر کوئی کام کیا جاوے

A. 1. ______________________

2. ______________________

3. ______________________

Give 2 examples of your own.

1. ______________________

2. ______________________

Q. What do all these examples have in common?

ضَرَبْتُ ضَرْباً نَصَرْتُ نَصْراً

جَلَسْتُ قُعُوداً وَكَلَّمَ اللهُ مُوسَىٰ تَكْلِيماً

۲) الْمَفْعُولُ الْمُطْلَقُ: وہ مصدر (root noun) ہے جو فعل کے بعد آئے
اور وہ مصدر فعل کے ہم معنی (same meaning) ہو

A. 1. ____________________

2. ____________________

3. ____________________

Give 2 examples of your own.

3. ____________________

4. ____________________

Note: مفعول مطلق (اکثر) فعل کی تاکید کے لئے آتا ہے

Q. What do these words have in common?

مَا قَتَلْتُهُ خَوْفاً مِنَ اللهِ

قُمْتُ له إِكْرَاماً

٣) الْمَفْعُولُ لَهُ: وہ اسم ہے جس کی وجہ (reason) سے کام کیا جائے

A. 1. ______

2. ______

3. ______

Give 2 examples of your own.

1. ______

2. ______

Q. What do these words have in common?

جَاءَ مُحَمَّدٌ وَالكِتَابَ

جِئْتُ وَزَيْداً

سِرْتُ وَالنِّيْلَ

٤) **الْمَفْعُولُ مَعَهُ:** وہ اسم ہے جو وَ (الوَاوُ الْمَعِيَّةُ) کے بعد آئے

اور یہ وَ "مَعَ" (along with) کے معنی میں آتا ہے

A. 1. ______

2. ______

3. ______

Give 2 examples of your own.

1. ______

2. ______

Note: 'وَ' has different uses

Q. What do these words have in common?

جَلَسْتُ خَلْفَكَ   ذَهَبْتُ يَوْمَ الْجُمُعَةِ

جَلَسْتُ فِي الدَّارِ   نَامَ لَيْلاً

٥) **الْمَفْعُولُ فِيهِ \ الظَّرْف**: وہ زمانہ یا جگہ جس میں (in) کام (فعل) ہوا ہو

الظرف (المفعول فیه)

الزمان — **المكان**

جس زمانے (time) میں فعل ہوا ہو   جس جگہ (place) میں فعل ہوا ہو

A. 1. ______________________________

2. ______________________________

3. ______________________________

Give 2 examples of your own.

1. ______________________________

2. ______________________________

Q. What do these words have in common?

جَاءَ زَيْدٌ مَاشِيًا　　قَرَأْتُ الْقُرْءَانَ جَالِسًا　　رَأَيْتُ الْقَلَمَ مَكْسُوْرًا

رَأَيْتُ الْمَسْجِدَ مَفْتُوحًا　　ذَهَبَ زَيْدٌ رَاكِبًا　　كَلَّمْتُ زَيْدًا جَالِسَيْنِ

٦) الْحَال: وہ اسم ہے جو فَاعِل یا مَفْعُوْل بِهِ یا دونوں (فَاعِل اور مَفْعُوْل بِهِ) کی حالت (state) بیان کرے، جس کی حالت بیان کی جائے اس کو ذُو الْحَال کہتے ہے

A. 1. ______________________________

2. ______________________________

3. ______________________________

Q. Identify the حال and the ذوالحال in the following:

وَجدتُّ زَيْدًا بَاكِيًا　　　قَرَأَ خَالِدٌ جَالِسًا

لَقِيتُ بَكْرًا رَاكِبَيْنِ　　　رَأَيْتُ مُحَمَّدًا قَائِمًا

Note:

ذوالحال (اکثر) معرفہ ہوتا ہے	جَاءَ زَيْدٌ مَاشِيًا
اگر ذوالحال نکرہ ہو تو حال کو پہلے لانا ضروری ہے	جَاءَ مَاشِيًا رَجُلٌ
حال کبھی پورا جملہ ہوتا ہے	جَاءَ زَيْدٌ وَهُوَ مَاشٍ

Q. What do these words have in common?

إِنِّي رَأَيْتُ أَحَدَ عَشَرَ كَوْكَبًا　　　عِنْدِي مِتْرُ ثَوْبًا

اِشْتَرَيْتُ كِيْلُوْ سَمَنًا　　　أَحْسَنُ عَمَلاً \ عِلْمًا \ وَجْهًا

٧) التَّمْيِيْز \ الْمُمَيِّز (specification):

وہ اسم ہے جو ابہام (ambiguity) کو دور (removes) کرے

جس سے ابہام دور کیا جاوے اس کو الْمُمَيَّز (specified) کہتے ہے

A. 1. ______

2. ______

3. ______

Give 2 examples of your own.

1. ______

2. ______

Note:

تمیز (اکثر) عدد (number) کے بعد آتی ہے

Q. Identify the تمييز and the مميَّز in the following:

عِنْدِي كُوْبٌ مَاءً بِعْتُ رِطْلاً زَيْتًا

سَافَرْتُ شِبْرًا أَرْضًا عِنْدِي ثَلَاثَةَ عَشَرَ قَلَمًا

Q. What do these words have in common?

جَاءَنِيْ الْقَوْمُ إِلاَّ زَيْدًا   مَا رَأَيْتُ إِلاَّ بَكْرًا

جَاءَ الأَوْلاَدُ مَاخَلاَ وَاحِدًا   سَجَدَ الْمَلاَئِكَةُ إِلاَّ إِبْلِيْسَ

٨) الْمُسْتَثْنَىٰ (excluded/exempted): وہ اسم ہے جو حروفُ الاِسْتِثْنَاءِ کے بعد آئے اور مُسْتَثْنَىٰ مِنْهُ سے نکالا گیا ہو (excluded)

الْمُسْتَثْنَىٰ مِنْهُ (exempted from): وہ اسم ہے جو حروفُ الاِسْتِثْنَاءِ سے پہلے آئے اور جس میں سے کوئی چیز (یعنی الْمُسْتَثْنَىٰ) نکالی گئی ہو

حُرُوفُ الاِسْتِثْنَاءِ: یہ آٹھ ہیں-

(١) إِلاَّ   (٢) مَا خَلاَ   (٣) مَا عَدَا

(٤) حَاشَا   (٥) خَلاَ   (٦) عَدَا

(٧) غَيْرَ   (٨) سِوَىٰ

A. 1. ______________________________

2. ______________________________

3. ______________________________

Give 2 examples of your own.

1. ______________________________

2. ______________________________

Q. Identify the مُسْتَثْنٰى, the مُسْتَثْنٰى مِنْهُ and the حُرُوْفُ الاِسْتِثْنَاءِ in the following:

سَجَدَ الْمَلآئِكَةُ إِلاَّ إِبْلِيسَ

مَا قَرَأْتُ الْكِتَابَ إِلاَّ صَفْحَةً

قَطَعْتُ الأَزْهَارَ مَاعَدَا الْوَرْدَ

Worksheet

Identify the مَنْصُوْبَات from the following:

قِسْمُ المنصوبات	Word/Phrase	جملة	
		يُسَافِرُ الطَّلَبَةُ إِلَىٰ بَلَكْبَرْنَ طَلَبًا لِلْعِلْمِ	1
		ذَهَبْتُ مَعَ أُسْتَاذِي خِدْمَةً لَهُ	2
		سَكَنْتُ بِمَكَّةَ شَهْرًا	3
		لاَ تَأْكُلُوْا الطَّعَامَ حَارًّا	4
		مَنْ أَشَدُّ مِنَّا قُوَّةً؟	5
		قُمِ اللَّيْلَ إِلاَّ قَلِيلاً	6
		وَوَاعَدْنَا مُوسَى ثَلاَثِينَ لَيْلَةً	7
		وَجَاءُوا أَبَاهُمْ عِشَاءً يَبْكُوْنَ	8
		إِنَّمَا يَخْشَى اللّٰهَ مِنْ عِبَادِهِ الْعُلَمَاءُ	9
		إِنَّا فَتَحْنَا لَكَ فَتْحًا مُبِينًا	10
		قُل رَّبِّ زِدْنِيْ عِلْمًا	11
		رَأَيْتُ الْجُنُودَ خَلاَ الْقَائدَ	12
		مَشَىٰ مُحَمَّدٌ وَالشَّارِعَ	13
		وَ لاَتَقْتُلُوا أَوْلاَدَكُمْ خَشْيَةَ إِمْلاَقٍ	14
		جَاءَ محمدٌ وَهُوَ رَاكِبٌ	15

For translation, please see Appendix 2

المعرب والمبني

Declinable and Indeclinable

اعراب (Declension) کے اعتبار سے اسم کی دو قسمیں ہیں: (۱) مُعْرَب

(۲) مَبْنِي

Q. Can you identify a pattern?

جَاءَ زَيْدٌ	نَصَرْتُ زَيْدًا	مَرَرْتُ بِزَيْدٍ
جَاءَ هٰذَا (یہ آیا)	نَصَرْتُ هٰذَا (مدد کی میں نے اس کی)	مَرَرْتُ بِهٰذَا (گزرا میں اس کے پاس سے)
جَاءَ أَخُوكَ	نَصَرْتُ أَخَاكَ	مَرَرْتُ بِأَخِيكَ
جَاءَ أَحَدَ عَشَرَ (گیارہ آیا)	نَصَرْتُ أَحَدَ عَشَرَ (مدد کی میں نے گیاروں کی)	مَرَرْتُ بِأَحَدَ عَشَرَ (گزرا میں گیاروں کے پاس سے)

A. 'زَيْدٌ ، زَيْدًا ، زَيْدٍ' is معرب because ______________________________

'هذا' is مبني because ______________________________

۱) مُعْرَب (Declinable): وہ ہے جس کا اعراب بدلتا ہے

۲) مَبْنِي (Indeclinable): وہ ہے جس کا اعراب بدلتا نہیں، بلکہ ہمیشہ ایک حال پر رہتا

معرَب کی دو قسمیں ہیں: (۱) مُنْصَرِف (۲) غَیْر مُنْصَرِف

مُنْصَرِف (Triptote): وہ اسم ہے جس پر تینوں حرکتیں (َ ، ُ ، ِ) اور تنوین (ً ، ٌ ، ٍ) آتی ہیں

غَیْر مُنْصَرِف (Diptote): وہ اسم ہے جس پر زیر (ِ)اور تنوین (ً ، ٌ ، ٍ) نہ آتی ہیں

غیر منصرف کے اسباب یہ ہیں:

Description	سبب
Adjective (e.g. عَطْشَانُ)	(۱) وَصْف
Feminine (e.g. زَيْنَبُ)	(۲) تَأْنِيث
Proper Noun (e.g. إِبْرَاهِيمُ)	(۳) عَلَم
Non-Arabic Noun (e.g. وِلْيَمُ)	(٤) عُجْمَة
Plural at the measure of 'مَفَاعِلُ' or 'مَفَاعِيلُ'. (e.g. فَنَادِقُ)	(٥) جَمع
On the measure of a verb (e.g. أَشْهَرُ)	(٦) وَزْنُ فِعْلٍ
Additional final 'ـَانِ'. (e.g. عُثْمَانُ)	(٧) أَلِف نُون زَائِدَتَان

جس اسم میں ان اسباب میں سے دو سبب ہو، وہ غیر منصرف پڑھا جائے گا۔

Fill in the gaps below.

وجه	صحيح \ غلط	مثال
		ضَرَبَ عُثْمَانٌ
		ضَرَبَ مُحَمَّدٌ
		أَخَذْتُ زَهْرَةَ
		هذا أَسْوَدٌ
		نَصَرْتُ فَاطِمَةً
		نَصَرْتُ إِبْرَاهِيمَ
		ذَهَبْتُ إِلَى مَسَاجِدٍ

مبنیات

Indeclinables

مبنی (Indeclinable) کی تین قسمیں ہیں:

(۱) ضَمِیر

(۲) اِسْمُ الْإِشَارَة

(۳) اِسْمُ الْمَوْصُول

مَبْنِي (Indeclinable): وہ ہے جس کا اعراب بدلتا نہیں، بلکہ ہمیشہ ایک حال پر رہتا

Q. What do all these examples have in common?

ضَرَبْتُهُمْ　　　هُوَ فِي الْمَسْجِدِ

إِيَّاكَ نَعْبُدُ　　　كِتَابُهُ

A. Yes! They are all pronouns (ضَمِير).

۱) الضَّمَائِر (Pronouns) کی پانچ قسمیں ہیں:

1 الضَّمِيرُ الْمَرْفُوعُ الْمُتَّصِل

2 الضَّمِيرُ الْمَرْفُوعُ الْمُنْفَصِل

3 الضَّمِيرُ الْمَنْصُوب الْمُتَّصِل

4 الضَّمِيرُ الْمَنْصُوب الْمُنْفَصِل

5 الضَّمِيرُ الْمَجْرُورُ الْمُتَّصِل

ضمائر یہ ہیں:

مرفوع		منصوب		مجرور (متصل)		الصِّيغَة
متصل	منفصل	متصل	منفصل	بعدِ اسم (مضاف)	بعدِ حرفِ جر	
فَعَلَ	هُوَ	سَمِعَهُ	إِيَّاهُ	كِتَابُهُ	لَهُ	واحد مذكر غائب
فَعَلَا	هُمَا	سَمِعَهُمَا	إِيَّاهُمَا	كِتَابُهُمَا	لَهُمَا	تثنية مذكر غائب
فَعَلُوْا	هُمْ	سَمِعَهُمْ	إِيَّاهُمْ	كِتَابُهُمْ	لَهُمْ	جمع مذكر غائب
فَعَلَتْ	هِيَ	سَمِعَهَا	إِيَّاهَا	كِتَابُهَا	لَهَا	واحد مؤنث غائب
فَعَلَتَا	هُمَا	سَمِعَهُمَا	إِيَّاهُمَا	كِتَابُهُمَا	لَهُمَا	تثنية مؤنث غائب
فَعَلْنَ	هُنَّ	سَمِعَهُنَّ	إِيَّاهُنَّ	كِتَابُهُنَّ	لَهُنَّ	جمع مؤنث غائب
فَعَلْتَ	أَنْتَ	سَمِعَكَ	إِيَّاكَ	كِتَابُكَ	لَكَ	واحد مذكر حاضر
فَعَلْتُمَا	أَنْتُمَا	سَمِعَكُمَا	إِيَّاكُمَا	كِتَابُكُمَا	لَكُمَا	تثنية مذكر حاضر
فَعَلْتُمْ	أَنْتُمْ	سَمِعَكُمْ	إِيَّاكُمْ	كِتَابُكُمْ	لَكُمْ	جمع مذكر حاضر
فَعَلْتِ	أَنْتِ	سَمِعَكِ	إِيَّاكِ	كِتَابُكِ	لَكِ	واحد مؤنث حاضر
فَعَلْتُمَا	أَنْتُمَا	سَمِعَكُمَا	إِيَّاكُمَا	كِتَابُكُمَا	لَكُمَا	تثنية مؤنث حاضر
فَعَلْتُنَّ	أَنْتُنَّ	سَمِعَكُنَّ	إِيَّاكُنَّ	كِتَابُكُنَّ	لَكُنَّ	جمع مؤنث حاضر
فَعَلْتُ	أَنَا	سَمِعَنِي	إِيَّايَ	كِتَابِي	لِي	واحد متكلم
فَعَلْنَا	نَحْنُ	سَمِعَنَا	إِيَّانَا	كِتَابُنَا	لَنَا	جمع متكلم

..تَّصِل: جو فعل سے ملی ہو (attached)

..نْفَصِل: جو فعل سے الگ ہو (detached)

..مرفوع: رفع (ُ) کے لئے، جب ضمیر فاعل یا مبتدأ ہو۔

..منصوب: نصب (َ) کے لئے، جب ضمیر مفعول واقع ہو۔

..مجرور: جر (ِ) کے لئے، جب ضمیر حرف الجر کے بعد ہو یا اسم (مضاف) کے بعد۔

Q. Identify the ضمیر used in the following:

إِيَّاكَ نَسْتَعِين	هُمْ غَافِلُونَ	أَنْذَرْتَهُمْ
اِهْدِنَا	أَنْعَمْتَ	نَحْنُ مُسْتَهْزِئُونَ
عَلَيْهِمْ	رَبُّهُمْ	رَزَقْنَاهُمْ

Analysis

الجملة	هُمْ	غَافِلُون	إِيَّاكَ	نَعْبُدُ
التركيب	مبتدأ	خبر	مفعول به مُقَدَّم	فعل + فاعل
	جُمْلَة اسْمِيَّة خَبْرِيَّة		جُمْلَة فِعْلِيَّة خَبْرِيَّة	
الترجمة	وہ غافل (لوگ) ہیں		تیری ہی عبادت ہم کرتے ہیں	

الجملة	يُدْخِلُ	هُمْ	رَبُّ	هُمْ	جَنّٰتٍ
التركيب	فِعْلٌ	مَفْعُوْلٌ بِهِ أَوَّلٌ	مُضَاف	مُضَاف إِلَيْهِ	مفعول به ثانٍ
			فَاعِل		
	جُمْلَة فِعْلِيَّة خَبْرِيَّة				
الترجمة	داخل کرے گا	ان کو	ربّ	ان کا	باغات/جنات میں

Q.Can you spot the difference?

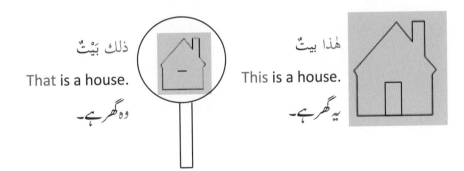

هٰذا بيتٌ

This is a house.

یہ گھر ہے۔

ذلك بَيْتٌ

That is a house.

وہ گھر ہے۔

A. ‘هذا’is used for __________ (قَرِيب).

‘ذلك’is used for __________ (بَعِيد).

)أَسْمَاءُ الإِشَارَة (Demonstrative Pronouns): وہ اسماء(nouns)جن سے کسی چیز کی طرف اشارۃ یاجائے

سْمَاءُ الْإِشَارَة کی دو قسمیں ہیں: (۱) أَسْمَاءُ الإِشَارَة لِلْقَرِيب (یہ\This,These)

(۲)أَسْمَاءُ الإِشَارَة لِلْبَعِيد (وہ\That,Those)

Q.Can you spot a pattern?

هذَا مُسْلِمٌ	هَاتَانِ سَاعَتَانِ	هٰؤُلآءِ سَاعَاتٌ
هٰؤُلآءِ مُسْلِمُونَ	هٰذِهِ سَاعَةٌ	هَاذَانِ مِفْتَاحَانِ
هذَا زَيْدٌ	هذَا مِفْتَاحٌ	هاذَانِ مُسْلِمَانِ

سْمُ الإِشَارَة لِلْقَرِيب: اسم ہے جس سے کسی نزدیک (near)چیز کی طرف اشارہ کیاجاوے

تعداد	مذكر	مؤنث
واحد	هٰذَا	هٰذِهِ
تثنية	هَاذَانِ \ هَاذَيْنِ	هَاتَانِ \ هَاتَيْنِ
جمع	هٰؤُلآءِ	

Q.Can you spot a pattern?

ذٰلِكَ مُسْلِمٌ　　أُولٰئِكَ مُسْلِمُونَ　　أُولٰئِكَ مُسْلِمَاتٌ

ذَانِكَ مُسْلِمَانِ　　تِلْكَ مُسْلِمَةٌ　　تَانِكَ مُسْلِمَتَانِ

اِسْمُ الإِشَارَةِ لِلْبَعِيد: وہ اسم ہے جس سے کسی دور (far) چیز کی طرف اشارہ کیا جاوے

تعداد	مذکر	مؤنث
واحد	ذٰلِكَ	تِلْكَ
تثنية	ذَانِكَ \ ذَيْنِكَ	تَانِكَ \ تَيْنِكَ
جمع	أُولٰئِكَ	

Worksheet

Fill in the gaps with suitable أسماء الإشارة للقريب:

______ بَنَاتٌ　　______ سَيَّارَتَانِ　　______ رِجَالٌ

______ الوَلَدَيْنِ　　______ مَسْجِدٌ　　______ مِسْطَرَةٌ

Fill in the gaps with suitable words given below:

نَاصِرُونَ	قَلَنْسُوَتَانِ	ثَوْبٌ	عَابِدَاتٌ	الطِفْلَيْنِ	سَاعَةٌ

ذلك ________　　تَانِكَ ________　　أولئك ________

تلك ________　　ذَيْنِكَ ________　　أولئك ________

Q.Can you spot a pattern?

I saw the boy,	the one who	sells books.
I went to the shop,	the one which	sells books.
	اسم الموصول	صِلَة

I saw the men, those who ... (who, what???)

اسم الموصول ... sells books

صِلَة

۳)أَسْمَاءُ الْمَوْصُولَة: وہ اسماء(nouns)جو صلہ سے ملکر ہی جملہ کا جز،(یعنی فاعل، مفعول وغیرہ)بن سکے
(Relative Pronouns)

A noun, the aim of which is indicated by the next sentence.

The next sentence is called the صلة (relative clause).

A. ______________________________

Q. Can you spot a pattern?

نَجَحَ الرَّجُلُ الَّذِي نَصَرَ　　الَّذِينَ نَصَرُوا نَجَحُوا

اللَّتَانِ نَصَرَتَا نَجَحَتَا　　الرَّجُلُ يَعْلَمُ مَنْ يَنْصُرُهُ

...سمائے موصولہ یہ ہیں:

	مذکر	مؤنث	معنی
واحد	الَّذِي	الَّتِي	The one who\وہ ایک جو
تثنية	الَّذَانِ \ الَّذَيْنِ	اللَّتَانِ \ اللَّتَيْنِ	Those (2) who\وہ دو جو
جمع	الَّذِينَ	اللاَّتِي \ اللَّوَاتِي	Those who\وہ سب جو
واحد، تثنية، جمع (تینوں کے لئے)	مَا		What\جو چیز
	مَنْ		Who\جو شخص

Worksheet

Fill in the gaps with suitable أسماء الموصولة:

جاءَ ______ ضَرَبَكَ

جاءَتْ أَخَواتُكُمْ ______ نَصَرْنَكُمْ

أَكْرِمْ ______ عَلَّمُوكَ

______ عَلَّمَاكَ فَأَكْرِمْهُمَا

Analysis

<table>
<tr><td>الْكِتابَ</td><td><u>هٰذَا</u></td><td>قَرَأْتُ</td><td></td><td>كِتابٌ</td><td><u>هٰذَا</u></td><td>الجملة</td></tr>
<tr><td>مُشارٌ إِلَيْهِ</td><td>إِسْمُ الْإِشارَةِ</td><td rowspan="2">فِعْلٌ + فاعِلٌ</td><td rowspan="3"></td><td rowspan="2">خَبَرٌ</td><td rowspan="2">مُبْتَدَأٌ</td><td rowspan="3">التركيب</td></tr>
<tr><td colspan="2">مَفْعُوْلٌ بِهِ</td></tr>
<tr><td colspan="3">جُمْلَةٌ فِعْلِيَّةٌ خَبَرِيَّةٌ</td><td colspan="2">جُمْلَةٌ إِسْمِيَّةٌ خَبَرِيَّةٌ</td></tr>
</table>

<table>
<tr><td>ضَرَبَكَ</td><td><u>الذي</u></td><td>جاء</td><td>الجملة</td></tr>
<tr><td>صِلَةٌ</td><td>إِسْمُ الْمَوْصُوْلِ</td><td rowspan="2">فِعْلٌ</td><td rowspan="3">التركيب</td></tr>
<tr><td colspan="2">فَاعِلٌ</td></tr>
<tr><td colspan="3">جُمْلَةٌ فِعْلِيَّةٌ خَبَرِيَّةٌ</td></tr>
</table>

التوابع

Followers

("التوابع" یا) "تابع" وہ دوسرا اسم ہے جس پر وہی اعراب ہو جو پہلے اسم پر ہو اور اعراب کی وجہ بھی ایک ہو

توابع پانچ ہیں:

١) الصِّفَة

٢) التَّأْكِيد

٣) البَدَل

٤) العَطْفُ بِالْحَرْف

٥) عَطْفُ الْبَيَان

دوسرے اسم کو تَابع اور پہلے اسم کو مَتْبُوع کہتے ہیں۔

Q. What do all these compounds have in common?

أَبِي زَيْدٍ خَالِدٍ	فَرَسًا حِمَارًا	زَيْدٌ نَفْسُهُ
هُودٌ الرَّسُول	أَبُو حَفْصٍ عُمَرُ	السَّيَّارَةَ الجميلَةَ
رَجُلٌ عَالِمٌ	خَالِدٌ وَ بَكْرٌ	قَلَمٌ أَوْ كِتَابٌ

A. Yes! They all end with the same إعراب (ـٍ ، ـٌ ، ـً) as the word before them.

Q. What do all these compounds have in common?

رَجُلٌ عَالِمٌ	بَنَاتٌ عَاقِلَاتٌ	السَّيَّارَةَ الْكَبِيرَةَ
مُحَمَّداً الشُّجَاعَ	صُورَتَانِ جَمِيلَتَانِ	قَلَمٍ مَكْسُورٍ

۱) الصِّفَة (Adjective):

وہ تابع (دوسرا اسم) ہے جو متبوع (اس سے پہلے اسم) کی حالت بتلائے (describes)

الصِّفَة	تابع ہے جو حالت بتلائے (describing word)
الْمَوْصُوف	متبوع ہے جس کی حالت بتلائی جائے (described being/thing)

A. 1. ______

2. ______

3. ______

4. ______

5. ______

Give 2 examples of your own.

1. _____

2. _____

Note:

صفت چار چیزوں میں موصوف کے موافق (according to) ہوتی ہے:

(۱) اعراب (َ ، ُ ، ِ) (end-case   (۲) عدد (واحد / تثنیہ / جمع ؛number)

(۳) جنس (مذکر / مؤنث ؛gender)   (۴) تَعْیِین (معرفہ / نکرہ ؛in/definite)

Q. Identify the صفۃ \ موصوف in the following:

حَدِیقَةٌ جَمِیلَةٌ   صَدِیقِیَ الْکَرِیْمُ   الصِّرَاطُ الْمُسْتَقِیْمُ

Q. What do all these compounds have in common?

نِكَاحُهَا بَاطِلٌ بَاطِلٌ   زَيْدٍ نَفْسِهِ   الْكِتَابَ كُلَّهُ

سَجَدَ الْمَلآئِكَةُ كُلُّهُمْ   جَاءَ الْحَقُّ الحقُّ   نَصَرَ حَامِدٌ حَامِدٌ

٢) <u>التَّأْكِيد</u> (Emphasis): وہ تابع (دوسرا اسم) جو متبوع (پہلے اسم) کو پختہ (emphasis) کرے کہ سننے والے کو شک نہ رہے (no doubt)

الْمُؤَكَّد (Emphasised): وہ متبوع (پہلا اسم) جس کی تاکید کی جائے

التأكيد

اللَّفْظِيَّة — جس میں پہلا لفظ مکرّر (repeat) لایا جائے

الْمَعْنَوِيَّة — جس میں اِن الفاظ سے تاکید ہو

(١) نَفْسٌ — عَيْنٌ

(٢) كِلاَ - كِلْتَا

(٣) كُلٌّ — أَجْمَعُ

(٤) أَكْتَعُ   أَبْتَعُ   أَبْصَعُ

A. 1. ______________________________
2. ______________________________
3. ______________________________

Q. Identify the تأكيد and the مُؤَكَّد in the following:

جَاءَ الْمُعَلِّمَانِ كِلاَهُمَا　　　نَصَرَ المسلمونَ كُلُّهُ

اِشْتَرَيْتُ الدُّكَّانَ أَجْمَعَهُ　　　ضَرَبْتُ أَنَا

Q. What do all these examples have in common?

أَخُوكَ مُحَمَّدٌ　　　　زَيْدٌ أَنْفُهُ

فَاطِمَةَ كِتَابَهَا　　　　الكلبِ الْفَرَسِ

۳) البَدل: وہ تابع (دوسرا اسم) جو مقصود (intended) ہو،

الْمُبْدَل مِنْه: وہ متبوع (پہلا اسم) جو مقصود نہ ہو اور صرف تمہید (introduction) یا غلطی (mistake) سے لایا جائے

A. 1. ____________________

2. ____________________

3. ____________________

Give 2 examples of your own.

1. ____________________

2. ____________________

Note:

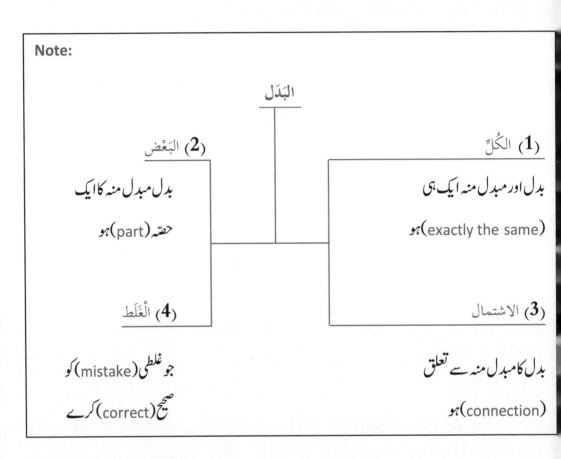

البَدَل

(1) الكُلِّ

بدل اور مبدل منہ ایک ہی (exactly the same) ہو

(2) البَعْض

بدل مبدل منہ کا ایک حصّہ (part) ہو

(3) الاشتمال

بدل کا مبدل منہ سے تعلق (connection) ہو

(4) الْغَلَط

جو غلطی (mistake) کو صحیح (correct) کرے

A. 1. ____________________

2. ____________________

3. ____________________

Q. Identify the بدل ,the type of بدل and the مبدل منه in the following:

قَرَأْتُ الكتابَ القرآنَ   نَظَرْتُ إِلَى سَيَّارَةٍ طَائِرَةٍ

سُرِقَ زيدٌ قَلَمُهُ   ضَرَبُوا زيدًا رَأْسَهُ

Q. What do these words have in common?

جَاءَ زَيْدٌ وعَمْرٌو   نَصَرْتُ الْبِنْتَ فَالْوَلَدَ   إِلَى صَدِيقٍ بَلْ أُسْتَاذٍ

٤) الْمَعْطُوف \ الْعَطْفُ بِالْحَرْف (Conjunction with a particle):

وہ تابع (دوسرا اسم) ہے جو حرفُ الْعَطْف کے بعد ہو

الْمَعْطُوف عَلَيْه (Conjoined): وہ متبوع (پہلا اسم) ہے جو حرفُ الْعَطْف سے پہلے ہو

A. 1. _____

   2. _____

حُرُوفُ الْعَطْف دس (١٠) ہیں:

إِمَّا	حَتَّى	ثُمَّ	فَ	وَ
لَا	لَكِنْ	بَلْ	أَمْ	أَوْ

Q. Identify the (العطف بالحرف) المعطوف, المعطوف عليه and حرف العطف in the following:

جَاءَ زَيْدٌ أَوْ خَالِدٌ   اذْهَبْ إِلَى الْأُسْتَاذِ بَلِ الْمُدِيرِ

اِشْتَرَيْتُ كِتَابًا ثُمَّ قَلَمًا   جَاءَ الطَّلَبَةُ حَتَّى مُحَمَّدٌ

Q. What do these sentences have in common?

الكَعْبَةَ الْبَيْتَ الْحَرَامَ	هٰذَا الْكِتَابُ جَيِّدٌ
رَجَعَ الكَلِيمُ مُوسَىٰ	جَاءَ أَبُو حَفْصٍ عُمَرُ

٥) **عَطْفُ الْبَيَان**: وہ تابع (دوسرا اسم) ہے جو صفت (attribute/adjective) نہ ہو، مگر متبوع (پہلے اسم) کو واضح (explains, clarifies, specifies) کرے

الْمَعْطُوف عَلَيْه: وہ متبوع (پہلا اسم) ہے جس کی وضاحت (explanation) کی جائے

A. 1. ______________________________
2. ______________________________
3. ______________________________

Q. Identify the عطف البیان and المعطوف علیه in the following:

قَالَ أَبُوْقَاسِمٍ مُحَمَّدُ صَلَّى اللهُ عَلَيْهِ وَسَلَّمَ

كَانَ أَبُوْحَفْصٍ عُمَرُ خَلِيْفَةً عَظِيْمَةً

كَانَ أَبُو حَنِيْفَةَ نُعْمَانُ بْنُ الثَّابِتِ مُجْتَهِدَ الْعَصْرِ

إعراب الاسم المعرب

اسم معرب کو "الاسم المتمکن" بھی کہتے ہیں

الاسم المتمکّن کا اعراب دو طرح کا ہوتا ہے:

١) بِالْحَرَكَة (ـَ ، ـِ ، ـُ)

٢) بِالْحَرْف (ا ، و ، ي)

قسم	حَالَة			مِثَال
	رَفَع	نَصَب	جَرّ	
الاِسْمُ الْمُفْرَدُ Singular Noun	ـٌ (ضَمَّة)	ـً (فَتْحَة)	ـٍ (كَسْرَة)	ذَهَبَ الرجلُ نَصَرْتُ الرجلَ نَظَرْتُ إِلَى الرجلِ
جَمْعُ التَّكْسِير Broken Plural				ذَهَبَ الرجالُ نَصَرْتُ الرجالَ نَظَرْتُ إِلَى الرجالِ
جَمْعُ الْمُؤَنَّثِ السَّالِم Sound Feminine Plural	ـٌ (ضَمَّة)	ـٍ (كَسْرَة)		ذَهَبَتْ مسلماتٌ نَصَرْتُ مسلماتٍ نَظَرْتُ إِلَى مسلماتٍ
غَيْرُ مُنْصَرِف Cannot accept كسرة or تنوين.	ـُ (ضَمَّة)	ـَ (فَتْحَة)		ذَهَبَ عثمانُ نَصَرْتُ عثمانَ نَظَرْتُ إِلَى عثمانَ

ذَهَبَ موسىٰ نَصَرْتُ موسىٰ نَظَرْتُ إِلَى موسىٰ	اعراب تقدیری ہو گا The end-case will be estimated in all 3 cases.			الِاسْمُ الْمَقْصُور End with ى.
ذَهَبَ صديقِي نَصَرْتُ صديقِي نَظَرْتُ إِلَى صديقِي				وہ اسم جو یاءُ الْمُتَكَلِّم کی طرف مضاف ہو (آخر میں ي ہو) Noun possessed by the 1st Person
ذَهَبَ القاضِي نَصَرْتُ القاضِيَ نَظَرْتُ إِلَى القاضِي	كسرة تَقْدِيرِيَّة	َ فَتْحَة لَفْظِيَّة	ضمة تَقْدِيرِيَّة	الِاسْمُ الْمَنْقُوصُ وہ اسم جس کے آخر میں (ي ہو) اور یہ یاء اصلی ہو

NOTE: The إعراب of the following nouns appear by letter (بالحرف).

مِثَال	حَالَة			قسم
	جَرّ	نَصب	رَفع	
ذَهَبَ الرَّجُلاَنِ نَصَرْتُ الرَّجُلَيْنِ نَظَرْتُ إِلَى الرَّجُلَيْنِ	ـَيْنِ		ـَانِ	تَثْنِيَة Dual
ذَهَبَ المسلمُونَ نَصَرْتُ المسلمِينَ نَظَرْتُ إِلَى المسلمِينَ	ـِينَ		ـُونَ	جَمْعُ الْمُذَكَّرِ السَّالِمِ Sound Masculine Plural
ذَهَبَ أَخُوكَ نَصَرْتُ أَخَاكَ نَظَرْتُ إِلَى أَخِيكَ	ـِي	ـَا	ـُو	الْأَسْمَاءُ السِّتَّةُ الْمُكَبَّرَةُ The following 6 nouns, when they are possessed by other than the speaker: (أَبٌ، أَخٌ، حَمٌ، هَنٌ، فَمٌ، ذُو)

البحث في الحروف

الحروف

عاملة — غير عاملة

١) اَلْحُرُوفُ الْعَامِلَةُ عَلَى الْفِعْلِ الْمُضَارِعِ

وہ حروف جو فعل مضارع پر عمل (govern) کرتے ہیں

حروفِ عاملہ (Governing Particles) کی دو قسمیں ہیں: (۱) اَلْحُرُوفُ النَّاصِبَةُ

(۲) اَلْحُرُوفُ الْجَازِمَةُ

Q. What do all these compounds have in common?

أَنْ أَهْرُبَ	إِذَنْ يَنْصُرَ	لَمْ يَضْرِبْ
لَنْ يَسْمَعَ	لَمَّا تَأْكُلْ	كَيْ أَدْخُلَ

A. Yes! These are حروف (particles) governing the الفعل المضارع after them (either by giving it a ◌َ or ◌ْ)

Q. What do these verbs have in common?

الترجمة بالإنكليترية	الترجمة بالأردية	... مع الحروف	الفعل المضارع
I want to go.	میں چاہتاہوں جانے کا	أُرِيدُ أَنْ أَذْهَبَ	أَذْهَبُ
Zaid will never go	ہرگز نہیں جائے گا زید	لَنْ يَذْهَبَ زَيْدٌ	يَذْهَبُ
I became a Muslim so that I may enter Paradise.	میں مسلمان ہوا تا کہ میں داخل ہو جاؤ جنت میں	أَسْلَمْتُ كَيْ أَدْخُلَ الْجَنَّةَ	أَدْخُلُ
In that case you will enter Paradise.	تب تو تو داخل ہو گا جنت میں	إِذَنْ تَدْخُلَ الْجَنَّةَ	تَدْخُلُ

الْحُرُوفُ النَّاصِبَةُ: وہ حروف(particles) جو الفعل المضارع کو ـَ دے

وہ چار ہیں: (١) أَنْ

(٢) لَنْ

(٣) كَيْ

(٤) إِذَنْ

A.   1. _____

       2. _____

Q. What do these verbs have in common?

الفعل المضارع	... مع الحروف	الترجمة بالأردية	الترجمة بالإنكلترية
يَذْهَبُ	لِيَذْهَبْ	چاہئے کہ وہ تو جائے	He should go.
تَذْهَبُ	لاَ تَذْهَبْ	نہ جاؤ	Don't go.
أَذْهَبُ	لَمَّا أَذْهَبْ	ابھی تک نہیں میں گیاہوں	I have not gone yet.
تَذْهَبُ وأَذْهَبُ	إِنْ تَذْهَبْ أَذْهَبْ	اگر توجائے گا میں جاؤں گا	If you go, I'll go.

الْحُروفُ الْجَازِمَة: وہ حروف(particles)جوالفعل المضارع کو ْ دے

وہ پانچ ہیں: (١) إِنْ

(٢) لَمْ

(٣) لَمَّا

(٤) لاَمُ الأَمْر (لِ)

(٤) لاَءُ النَّهْي (لاَ)

A. 1. ______________________

2. ______________________

۲) الْحُرُوفُ غَيرُ العَامِلَةِ

Non-Governing Particles

وہ حروف جو اسم اور فعل پر عمل نہیں کرتے ہیں

حروفِ غیر عاملہ (Non-Governing Particles) سولے قسم کے ہوتے ہیں:

1	أَحْرُفُ الْتَنْبِيْه	9	أَحْرُفُ الزَّائِدَةِ
2	أَحْرُفُ الإِيْجَابِ	10	أَحْرُفُ الشَّرْطِ
3	حَرْفَا الْمَصْدَرِيَّةِ	11	تَنْوِيْن
4	حَرْفَا التَّفْسِيْرِ	12	نُونِيَ التَّأْكِيْدِ
5	أَحْرُفُ التَّحْضِيْضِ والتَّنْدِيْمِ	13	ما بِمَعْنَى "مَا دَامَ"
6	حَرْفُ التَّوَقُّعِ	14	لَوْلاَ \ لَوْمَا
7	حَرْفَا الِاسْتِفْهَامِ	15	كَلاَّ
8	أَحْرُفُ الْعَطْفِ	16	لَامُ التَّأْكِيْدِ

قسم الحروف غير العاملة	حروف	معنى	استعمال	مثال
أَحْرُفُ التَّنْبِيْهِ	أَلاَ، أَمَا، هَا،	Behold! Listen! سنو! بے دار ہو جاؤ!	مخاطب کو توجّہ دِلانے کے لئے (to draw attention)	أَلاَ! لاَ يَحِلُّ لِمُسْلِمٍ
أَحْرُفُ الإِيْجَابِ (Affirmation)	نَعَمْ، أَجَلْ، جَيْرِ، إِنَّ، بَلَىٰ، إِيْ،	Yes! Certainly! Of course! جی ہاں! بالکل! ہاں! کیوں نہیں!	جن سے مثبت جواب دیاجائے (" yes" as a response)	قَالُوا: نَعَمْ. أَلَسْتُ بِرَبِّكُمْ؟ قَالُوا: بَلَى. إِي وَرَبِّنَا.
حَرْفَا التَّفْسِيْرِ (Explanation)	أَيْ، أَنْ	أَيْ ← یعنی / i.e. أَنْ ← (یہ کہہ کر) کہ / (by saying) that	جو کسی چیز کو واضح کرنے کے لئے لایا جائے	إِنَّا نَحْنُ نَزَّلْنَا الذِّكْرَ أَيْ الْقُرْآنَ. وَنَادَيْنَاهُ أَنْ يَاإِبْرَاهِيْمُ
حَرْفَا الْمَصْدَرِيَّةِ	مَا، أَنْ،	کیا / کرتا ہے / کرے گا کرنا 'to do' = 'doing'	جو فعل کو مصدر کے معنی دے	بَعدَمَا ظُلِمُوا. أُرِيدُ أَنْ أَنْصُرَ
أَحْرُفُ التَّحْضِيْضِ وَالتَّنْدِيْمِ (Encouragement) (Regret/Blame)	أَلاَ، أَلاَّ، هَلاَّ، لَوْمَا، لَوْلاَ،	Why not ...?! کیوں نہیں...؟!	فعل ماضی پر: ندامت (regret) فعل مضارع پر: ابھارنا (encourage)	لَوْمَا تَأْتِنَا بِالْمَلاَئِكَةِ؟ هَلاَّ صَلَّيْتَ صَلاَةَ الْعَصْرِ
حَرْفُ التَّوَقُّعِ (Encouragement)	قَدْ	چکا ہے (has)	تَقْرِيْب \ مَاضِيْ قَرِيْب (near past)	قَدْ خَرَجَ الآنَ مِنَ الْفَصْلِ.
		کبھی کبھی	تَقْلِيْل (a few times)	قَدْ يَصْدُقُ الكَاذِبُ؟
		تحقیق کہ	تأكيد (emphasis)	قَدْ يَعْلَمُ اللّٰهُ

Appendix 1: (معاني أفعال الناقصة)

ترجمة	مثال	معنى		فعل
Hamid was not standing	كَانَ حَامِدٌ قَائِمًا	Was	تھا	كان
Muhammad became rich	صَارَ مُحَمَّدٌ غَنِيًّا	Became	ہوگیا	صار
The man became ill	أَصْبَحَ الرَّجُلُ مَرِيضًا	بمعنى "صار"		أصبح
The child became happy	أَمْسَى الطِّفْلُ مَسْرُوْرًا			أمسى
The boy became a player	أَضْحَى الْوَلَدُ لاَعِبًا			أضحى
The man stayed sitting	ظَلَّ الرَّجُلُ جَالِسًا	stayed for the full day	پورادن رہا	ظل
The minister spent night sleeping	بَاتَ الْوَزِيرُ نَائِمًا	spent the night	رات گزارا	بات
Zayd stayed sitting	مَابَرِحَ زَيْدٌ جَالِسًا	Stayed	رہا	مابرح
I will remain helping him as long as he is poor	أَنْصُرُهُ مَادَامَ فَقِيْرًا	... remain ... as long as	جب تک ... رہے	مادام
Hamid remained pious	مَا انْفَكَّ حَامِدٌ صَالِحًا	Remained	رہا	مالنفك
Khalid is not small	لَيْسَ خَالِدٌ صَغِيْرًا	is not	نہیں ہے	ليس
The man remained worshipping	مَا فَتِئَ الرَّجُلُ عَابِدًا	Remained	رہا	مافتئ
The people remained one nation	مَازَالَ النَّاسُ أُمَّةً وَاحِدَةً	Was still	برابر رہا	مازال

Appendix 2

ترجمة	الجملة
The students are travelling to Blackburn in order to seek knowledge	يُسَافِرُ الطَّلَبَةُ إِلَىٰ بَلَكْبَرْنَ طَلَبًا لِلْعِلْم
I went with my teacher in order to serve him	ذَهَبْتُ مَعَ أُسْتَاذِيْ خِدْمَةً لَهُ
I stayed in Makkah for a month	سَكَنْتُ بِمَكَّةَ شَهْرًا
Do not eat the food whilst it is hot	لَاتَأْكُلُوا الطَّعَامَ حَارًّا
Who is more severe than us in terms of strength?	مَنْ أَشَدُّ مِنَّا قُوَّةً؟
Stand at night but for a short while	قُمِ اللَّيْلَ إِلاَّ قَلِيلاً
And we made an agreement with Musa of thirty nights	وَوَاعَدْنَا مُوسَىٰ ثَلَاثِيْنَ (٣٠) لَيْلَةً
They came to their father in the evening weeping	وَ جَآءُوْا أَبَاهُمْ عِشَاءً يَبْكُوْنَ
Only those who have knowledge amongst His slaves fear Allah	إِنَّمَا يَخْشَى اللّٰهَ مِنْ عِبَادِهِ الْعُلَمٰٓؤُ
Verily we gave you a victory, a clear victory	إِنَّا فَتَحْنَا لَكَ فَتْحًا مُبِينًا
Say: My Lord, Increase me in terms of knowledge	قُل رَّبِّ زِدْنِيْ عِلْمًا
I saw the army except the general	رَأَيْتُ الْجُنْدَ خَلاَ الْقَائِدَ
Muhammad walked along the road	مَشَىٰ محمدٌ والشَّارِعَ
Do not kill your children for fear of poverty	وَ لَاتَقْتُلُوْا أَوْلَادَكُمْ خَشْيَةَ إِمْلَاقٍ
Muhammad came whilst he was riding	جَاءَ مُحَمَّدٌ وَهُوَ رَاكِبٌ

الخاتمة

Checklist

صفحه نمبر	بحث	باب	الأشياء المهمة (اہم چیزیں)	یاد کیا یا نہیں
1	المقدمة		تعريف علم النحو و فائدته	
			تعريف: اللفظ و الكلمة و الاسم و الفعل و الحرف	
			علامات و الحالات الثلاثة	
2 – 5	البحث في	المركبات	تعريف المركب و تقسيمه مع تعرف و أمثلة لكل قسم مذكور في النقشة	
6 – 8	البحث في	المفردات	تعريف المفرد\الكملة و تقسيمه و علامات أقسام الكلمة	
9 – 10	البحث في الأسم	تعداد	واحد و تثنية و جمع	
11 – 12			أقسام الجمع (مكسر \ سالم \ مؤنث \ مذكر)	
13 – 14		معرفة \ نكرة	تعريف المعرفة و النكرة و أقسام لمعرفة	

النطاق	التصنيف	التفاصيل
15 – 16	الاسم المنسوب / اسم التصغير	تعريف الاسم المنسوب و بناؤه و معانيه
17 – 18		تعريف اسم التصغير و أوزانه و معانيه
19 – 20	مذكر / مؤنث	تعريف المذكر و المؤنث و أقسام المؤنث مع أمثلة
21 – 23	مرفوعات	أقسام المرفوعات و تعريف الفاعل و نائب الفاعل
24 – 26		المبتدأ و الخبر مع أمثلة وحروف الشبيهة بالفعل مع أمثلة لكل حرف
27 – 30		بقية المرفوعات مع أمثلة
31 – 34		تمرين
35 – 36	مجرورات	مضاف إليه
37		حروف الجر
38 – 43	منصوبات	المفاعيل الخمسة مع تعريف و أمثلة
44 – 48		بيان الحال و التمييز و المستثنى
49		تمرين

الرقم	المحتوى
50	تقسيم الاسم باعتبار الإعراب
51	تقسيم المعرب و بيان قسميه و أسباب منع الصرف
52	تمرين
53	تعريف المثنى و أقسامه
54- 55	تعريف الضمائر و بيان أقسامه
56	تركيب
57 -58	تعريف اسم الإشارة و بيان أقسامه
59	تمرين
60 – 62	بيان اسم الموصول و تمرين
63	تعريف التابع و أقسامه
64 – 65	بيان الصفة مع أمثلة
66	تعريف التأكيد و أقسامه مع أمثلة
67 – 68	تعريف البدل و أقسامه مع أمثلة

مخطط الباب الثالث

الأسماء 6 أقسام

غير المنصرف — مبنيات — توابع

69			حروف العطف	
70			عطف البيان	
72 – 73		إعراب الاسم المعرب	نقشة ملونة في إعراب الاسم المتمكن تسهيلا على طالب العلم	
74	البحث في الحروف	الحروف العاملة	تقسيم الحروف العاملة على الفعل المضارع	
75			حروف الناصبة مع أمثلة	
76			حروف الجازمة مع أمثلة	
77		الحروف غير العاملة	أقسام الحروف غير العاملة	
78			نقشة ملونة سهلة في بيان بعض غير العاملة من الحروف	

Other publications
of Jamiatul Ilm Wal Huda

1000 Hadith for Memorisation

This book is a compilation of a 1000 authentic narrations from the six famous books, it is designed in chapter form. The book has originally been created for memorisation, yet it can be useful for general reading as well.

Usool al-Hadith (in Arabic)

This book is aimed at teaching Usool al-Hadith to an intermediate level; in an easy format. It is filled with tables and flowcharts; this style has been adopted to make the subject as easy as possible to understand. Furthermore, flowcharts have been added at the end of the book which covers majority of the subject.

Mantiq (in Arabic)

This book is aimed at teaching the classical Mantiq (logic) terms to an intermediate level; in an easy format. It is filled with tables and flowcharts; this style has been adopted to make the subject as easy as possible to understand. Furthermore, flowcharts have been added at the end of the book which covers majority of the subject.

A Comprehensive Guide To Tajweed

This book is aimed at teaching enhance level Tajweed according to the recitation of Imam Hafs. Many simple books have been written in the Englsih language on the subject of tajweed; however, most were restricted to the beginners level. Hence, the need arose to compile a book of advanced level which would enable the Englsih speaking audience to learn detailed Tajweed directly from an Englsih source. This book will allow the reader to straight away solve many of the detailed books of Tajweed within the Arabic language. It may even prove to be a commentary for many of the Arabic texts.

Hidayatun Nahw (with Q&A in English)

The book Hidayatun Nahw is a book taught in many places for intermediate level nahw. However, due to its complex text, many readers find many parts of the text difficult to solve. Therefore, for the english speaking readers, this book was designed with the intention of making the complex text of the book easier for understanding. Hence, the english question & answers do not go into much detail beyond the content of the book; it is more based on solving the book.

Das Sabak (in Urdu & English)

The book Das Sabak is a book taught in many institutes as a beginners guide for Arabic learning. The book covers ten very important topics of Arabic grammer; allowing the students to become equipped with the foundation before enhancing to intermediate level. The book was designed to make translation of the Qur'an easier for beginners; covering most words upto half of the first para. However, as the book was written in Urdu, it became hard for the English speaking audience to take benefit from the book; hence, the need arose to make a parallel English version of the book. The Urdu has been kept within the book, with explanatory English notes for each chapter.